LECTURES S

Lectures sans frontières est une nouvelle collection qui présente les plus grands classiques de la littérature ainsi que des œuvres de fiction particulièrement captivantes. La diversité des thèmes proposés permet au lecteur de choisir son type d'histoire préféré afin de joindre l'utile à l'agréable, et de perfectionner son français tout en s'amusant. Tous les livres sont écourtés et simplifiés de manière à correspondre au niveau d'un lecteur moyen. Les textes ont été adaptés en altérant le moins possible l'œuvre des auteurs afin de permettre aux lecteurs d'apprécier la langue et le style employés dans la version originale, non raccourcie. Des notes en bas de page facilitent la compréhension du texte. Chaque livre comprend divers exercices permettant de revoir des points de grammaire et d'entraîner les élèves à la rédaction.

Adaptation, notes et exercices Françoise Eynaudi
Révision Bérénice Capatti
Illustration de couverture Viviane Pigeon
Editing Fiona Frandy

LE PÈRE GORIOT

Honoré de Balzac

Honoré de Balzac est né en 1799 à Tours. Il commence son droit en 1817 mais affirme une vocation littéraire. En 1821, il publie sous un pseudonyme des romans d'aventures. Comme le succès tarde à venir, Balzac se lance dans les affaires. Mais c'est le désastre financier. Après sa faillite, Balzac donne en 1829 ses premières œuvres réussies: Physiologie du mariage *et* Les Chouans. *Dès lors, les titres se multiplient à un rythme incroyable. En vingt ans, Balzac va publier 90 romans et nouvelles, 30 contes, 5 pièces de théâtre. En janvier 1833 commence sa correspondance avec une admiratrice polonaise, Madame Hanska. Ses romans sont répartis en* études de mœurs*:* Le Père Goriot *(1834-1835),* La Cousine Bette *(1847);* études philosophiques *et* études analytiques *:* La Peau de chagrin *(1831),* Le Médecin de Campagne. *En 1842, Balzac choisit pour titre d'ensemble* La Comédie Humaine. *En mars 1850, désormais riche et célèbre, il peut enfin épouser madame Hanska, veuve depuis 1841. Mais, épuisé par une intense activité cérébrale, il meurt le 19 août 1850.*

La Spiga languages

I
Une pension bourgeoise

Madame Vauquer est une vieille femme qui, depuis quarante ans, tient à Paris une pension bourgeoise, établie rue Neuve-Sainte-Geneviève. Cette pension, connue sous le nom de la Maison-Vauquer, admet également des hommes et des femmes, des jeunes gens et des vieillards. Nul quartier de Paris n'est plus horrible. La pension donne sur un jardinet aux murs tapissés de vignes.

La façade de la pension est badigeonnée[1] avec cette couleur jaune qui donne un caractère ignoble[2] à presque toutes les maisons de Paris. Le rez-de-chaussée se compose d'un salon qui communique à une salle à manger. Rien n'est plus triste que ce salon au milieu duquel se trouve une table ronde. La cheminée en pierre est ornée de deux vases pleins de fleurs artificielles, vieillies, qui accompagnent une pendule du plus mauvais goût. Cette pièce exhale[3] une odeur sans nom. Elle sent le renfermé, le moisi, elle pue l'hospice. Malgré ces horreurs, comparé à la salle à manger, vous trouveriez ce salon élégant et parfumé. Cette salle est plaquée de buffets gluants[4] sur lesquels sont des carafes ternies, des piles d'assiettes. La longue table est couverte en toile cirée assez grasse pour qu'un pensionnaire y écrive son nom en se servant de son doigt. Tout le mobilier est vieux, crevassé, pourri. Là règne la misère sans poésie.

1. **badigeonner (v)** : peindre d'une manière grossière.
2. **ignoble (adj.)** : très vil, bas, très sale.
3. **exhaler (v)** : répandre une odeur, un gaz.
4. **gluant (adj)** : qui est recouvert d'une matière visqueuse et collante.

Le spectacle désolant que présente l'intérieur de cette maison se répète dans le costume de ses habitués, également délabrés. La veuve, madame Vauquer, marche en traînassant ses pantoufles. Sa face vieillotte, du milieu de laquelle sort un nez à bec de perroquet, sa personne dodue sont en harmonie avec cette salle où suinte[1] le malheur et dont madame Vauquer respire l'air sans en être écœurée. Toute sa personne explique la pension. Elle a l'air d'une entremetteuse, prête à tout pour adoucir son sort.

À l'époque où cette histoire commence, les pensionnaires étaient au nombre de sept. Le premier étage contenait les deux meilleurs appartements de la maison. Madame Vauquer habitait le moins considérable. L'autre appartenait à madame Couture, une veuve qui avait avec elle une très jeune personne nommée Victorine Taillefer. Le père de celle-ci croyait avoir des raisons pour ne pas la reconnaître et refusait de la garder près de lui afin de pouvoir transmettre sa fortune à son fils. Victorine qui suppliait Dieu de dessiller[2] les yeux de son père et d'attendrir le cœur de son frère, tous les ans se cognait contre la porte de la maison paternelle, inexorablement fermée. Les deux appartements du second étaient occupés, l'un par un vieillard nommé Poiret ; l'autre par un homme âgé d'environ quarante ans, monsieur Vautrin, qui se disait ancien négociant. Il était un de ces gens dont le peuple dit : Voilà un fameux gaillard. Il annonçait un sang-froid imperturbable qui ne devait pas le faire reculer devant un crime pour sortir d'une position équivoque.

1. **suinter (v) :** s'écouler, s'échapper.
2. **dessiller (v) :** ouvrir les paupières, faire voir les choses sous leur vrai jour.

Le troisième étage se composait de quatre chambres, dont deux étaient louées, l'une par une vieille fille nommée mademoiselle Michonneau, l'autre par un ancien fabricant de vermicelles, de pâtes d'Italie, qui se laissait nommer le père Goriot. Les deux autres chambres étaient destinées aux infortunés étudiants. En ce moment, l'une de ces deux chambres appartenait à un jeune homme venu des environs d'Angoulême à Paris pour y faire son Droit, et dont la nombreuse famille se soumettait aux plus dures privations afin de lui envoyer douze cents francs par an. Eugène de Rastignac était un de ces jeunes gens façonnés au travail par le malheur, qui comprennent dès le jeune âge les espérances que leurs parents placent en eux.

Au grenier, se trouvaient deux mansardes[1] où couchaient un garçon de peine, Christophe, et la grosse Sylvie, la cuisinière. Outre les internes, madame Vauquer avait, bon an, mal an, huit étudiants en Droit ou en Médecine, et deux ou trois habitués qui demeuraient dans le quartier, abonnés tous pour le dîner seulement. Cette réunion formait les éléments d'une société complète. Il se rencontrait, comme dans le monde, un souffre-douleur[2] sur qui pleuvaient les plaisanteries.

Ce patiras[3] était le père Goriot. Vieillard de soixante-neuf ans environ, il s'était retiré chez madame Vauquer, en 1813, après avoir quitté les affaires. Il y avait d'abord pris l'appartement occupé par

1. **mansarde (n)** : pièce dont un mur au moins, constitué par le dessous du toit, est incliné.
2. **souffre-douleur (n)** : personne que les autres maltraitent.
3. **patiras (n)** : homme, enfant servant de jouet, souffre douleur.

madame Couture, et donnait alors douze cents francs de pension. Goriot, qui vers cette époque était respectueusement nommé monsieur Goriot, vint muni de la garde-robe bien fournie du négociant qui ne se refuse rien en se retirant du commerce. Habituellement vêtu d'un habit bleu, il prenait chaque jour un gilet blanc, sous lequel fluctuait son ventre proéminent, qui faisait rebondir une lourde chaîne d'or. Ses armoires furent remplies par la nombreuse argenterie de son ménage. « Ceci, dit-il à madame Vauquer en serrant un plat et une petite écuelle, est le premier présent que m'a fait ma femme, le jour de notre anniversaire. Elle y avait consacré ses économies de demoiselle. Voyez-vous, madame ? j'aimerais mieux gratter la terre avec mes ongles que de me séparer de cela. » Madame Vauquer avait bien vu quelques inscriptions sur le Grand Livre qui pouvaient faire à cet excellent Goriot un revenu d'environ huit à dix mille francs et quoique le larmier[1] des yeux de Goriot fût retourné, gonflé, cependant, elle lui trouva l'agréagréable et comme il faut. Mais quand il lui fut prouvé qu'elle ne tirerait rien de cet homme-là, elle s'employa à inventer de sourdes persécutions contre sa victime et se mit à le déconsidérer.

Pendant la première année, Goriot avait souvent dîné dehors une ou deux fois par semaine ; puis insensiblement, il en était arrivé à ne plus dîner en ville que deux fois par mois. Ces changements furent attribués à une lente diminution de fortune.

À la fin de la deuxième année, monsieur Goriot justifia les bavardages dont il était l'objet, en demandant à madame Vauquer de passer au second étage, et

1. **larmier (n)** : angle interne de l'œil.

de réduire sa pension à neuf cents francs. La veuve Vauquer voulut être payée d'avance ; à quoi consentit monsieur Goriot, que dès lors elle nomma le père Goriot.

Vers la fin de la troisième année, le père Goriot réduisit encore ses dépenses, en montant au troisième étage. Il se passa de tabac et congédia son perruquier. Sa physionomie que des chagrins secrets avaient insensiblement rendue plus triste de jour en jour, semblait la plus désolée de toutes celles qui garnissaient la table. Ses diamants, ses bijoux, disparurent un à un. Il avait quitté l'habit bleu pour porter été comme hiver, une redingote[1] de drap marron grossier, un gilet en poil de chèvre, et un pantalon gris en cuir de laine. Il devint progressivement maigre. Durant la quatrième année, le bon vermicellier de soixante-deux ans qui ne paraissait pas en avoir quarante, le bourgeois gros et gras, semblait être un septuagénaire[2] vacillant.

Eugène de Rastignac, pendant sa première année de séjour à Paris, avait agrandi l'horizon de sa vie et fini par concevoir la superposition des couches humaines qui composent la société. Il partit en vacances, après avoir été reçu bachelier[3] ès Lettres et bachelier en droit. Son intelligence modifiée, son ambition exaltée[4] lui firent voir la détresse dans laquelle vivait sa famille, son avenir incertain qui reposait sur lui. Une foule de circonstances décuplèrent son désir de parvenir. Il remarqua combien les

1. **redingote (n)** : veste longue d'homme.
2. **septuagénaire (n)** : qui a entre soixante-dix et quatre-vingts ans.
3. **bachelier (n)** : titre d'une personne qui a passé avec succès le baccalauréat.
4. **exalter (v)** : élever par la passion, l'enthousiasme.

femmes ont d'influence sur la vie sociale et avisa soudain à se lancer dans le monde, afin d'y conquérir des protectrices. Sa tante, madame de Marcillac, autrefois présentée à la Cour, y avait connu les sommités aristocratiques. Elle écrivit donc une lettre à la vicomtesse de Beauséant et la remit à Eugène.

Quelques jours après son retour à Paris, Rastignac envoya la lettre et madame de Beauséant répondit par une invitation de bal. Plusieurs jours plus tard, Eugène après être allé au bal de madame de Beauséant, rentra vers deux heures dans la nuit. Grâce à sa tante, le pauvre étudiant avait été bien reçu dans cette société, la plus exclusive de toutes, et il avait ainsi conquis le droit d'aller partout. Durant la soirée, il s'était contenté de distinguer une de ces femmes que doit adorer tout d'abord un jeune homme, madame Anastasie de Restaud. En se disant cousin de madame de Beauséant, il fut invité par cette femme. Sa pensée vagabonde escomptait[1] si drûment[2] ses joies futures qu'il se croyait auprès de madame de Restaud quand un soupir troubla le silence de la nuit. Il ouvrit doucement la porte et aperçut un rai de lumière au bas de la porte du père Goriot. Craignant que son voisin ne soit indisposé, il approcha son œil de la serrure. Le vieillard tordait un plat et une espèce de soupière en vermeil vraisemblablement pour les convertir en lingots. Puis, il prit la masse d'argent et la roula dans une couverture. Le père Goriot regarda tristement son ouvrage et souffla la bougie. Eugène l'entendit se coucher en poussant un soupir. Il est fou, pensa l'étudiant.

1. **escompter (v)** : jouir par avance de, compter sur.
2. **drûment (adv)** : fortement.

— Pauvre enfant ! dit à haute voix le père Goriot. À cette parole, Rastignac jugea prudent de garder le silence sur cet événement et de ne pas inconsidérément condamner son voisin. Il allait rentrer quand il distingua la respiration de deux hommes montant l'escalier, sans avoir entendu ni le cri de la porte ni les pas des hommes. Il vit tout à coup de la lumière chez monsieur Vautrin. Il descendit quelques marches et se mit à écouter. Bientôt la lumière fut éteinte et il entendit les deux hommes descendre. Le lendemain, Christophe et Sylvie prenaient tranquillement leur café quand Christophe dit à Sylvie :

— Monsieur Vautrin a encore vu deux hommes cette nuit.

— Vous a-t-il donné quelque chose ?

— Il m'a donné cent sous pour son mois, une manière de me dire : « Tais-toi. »

— Voilà madame qui se remue.

— Comment, Sylvie, vous m'avez laissé dormir comme une marmotte[1].

La sonnette se fit entendre, et Vautrin entra.

— Oh ! Oh ! bonjour, madame Vauquer. Je viens de voir quelque chose de singulier. Le père Goriot était à huit heures et demie rue Dauphine, chez l'orfèvre qui achète de vieux couverts. Il lui a vendu pour une bonne somme un ustensile de ménage, en vermeil. J'ai attendu le père Goriot pour voir : histoire de rire. Il a remonté ce quartier, rue des Grès, où il est entré chez un usurier[2] nommé Gobseck.

— Qu'est-ce que fait donc ce père Goriot ?

1. **marmotte (n)** : mammifère rongeur à fourrure épaisse.
2. **usurier (n)** : personne qui prête de l'argent à un taux supérieur au maximum légal.

— Il ne fait rien, dit Vautrin, il défait. C'est un imbécile assez bête pour se ruiner.

— Où vas-tu ? dit madame Vauquer à Christophe.

— Faire une commission pour monsieur Goriot.

— Qu'est-ce que c'est que ça ? dit Vautrin en arrachant des mains de Christophe une lettre sur laquelle il lut : *À madame la comtesse Anastasie de Restaud.* Et tu vas ? reprit-il en tendant la lettre à Christophe.

— Rue du Helder.

— Qu'est-ce qu'il y a là-dedans ? Il entrouvrit l'enveloppe. — Un billet acquitté[1].

En ce moment, Goriot descendit. À l'instant où les sept convives[2] s'attablèrent, l'étudiant entra, salua les pensionnaires, et s'assit.

— Il vient de m'arriver une singulière aventure. Hier j'étais au bal chez madame la vicomtesse de Beauséant, une cousine à moi, qui nous a donné une fête superbe. Je danse avec une des plus belles femmes du bal, une comtesse ravissante. Eh bien ! Ce matin j'ai rencontré cette divine comtesse, sur les neuf heures, à pied, rue des Grès.

— Elle allait sans doute chez papa Gobseck, un usurier, dit Vautrin. Votre comtesse se nomme Anastasie de Restaud, et demeure rue du Helder.

À ce nom, l'étudiant regarda fixement Vautrin. Le père Goriot leva brusquement la tête, jetant un regard plein d'inquiétude.

— Christophe arrivera trop tard, elle y sera donc allée, s'écria-t-il douloureusement.

— Monsieur Goriot, s'écria l'étudiant.

1. **acquitter (v) :** payer.
2. **convive (n) :** personne qui participe à un repas avec d'autres.

— Quoi ! dit le pauvre vieillard. Elle était donc bien belle hier.

— Oh ! oui, elle était furieusement belle, reprit Eugène.

— Hier en haut de la roue, chez une duchesse, dit Vautrin ; ce matin en bas de l'échelle chez un escompteur[1] : voilà les Parisiennes.

Le visage du père Goriot devint sombre à cette cruelle observation.

— Eh bien ! dit madame Vauquer, où donc est votre aventure? Lui avez-vous parlé ?

— Elle ne m'a pas vu, dit Eugène. Mais rencontrer une des plus jolies femmes de Paris rue des Grès, n'est-ce pas singulier ?

Quand le père Goriot fut sorti, Vautrin dit :

— La comtesse l'exploite. Il a porté ce matin du vermeil chez Gobseck. En revenant, il a envoyé Christophe chez la comtesse de Restaud. Si celle-ci allait aussi chez le vieil escompteur, il y avait urgence.

— Vous me donnez une furieuse envie de savoir la vérité. J'irai demain chez madame de Restaud, s'écria Eugène. Le lendemain, Rastignac s'habilla fort élégamment, et alla chez madame de Restaud. Il arriva rue du Helder et demanda la comtesse. Il reçut le coup d'œil méprisant des gens qui l'avaient vu traversant la cour à pied, sans avoir entendu le bruit d'une voiture à la porte. Ce coup d'œil lui fut d'autant plus sensible qu'il avait déjà compris son infériorité en entrant dans cette cour.

— Monsieur, dit le valet de chambre, madame est

1. **escompteur (n)** : celui qui fait une avance consistant dans le paiement d'une traite avant l'échéance.

fort occupée ; mais si monsieur veut passer au salon, il y a déjà quelqu'un.

En ce moment, une porte s'ouvrit au fond du corridor éclairé par une petite lampe, Rastignac y entendit à la fois la voix de madame de Restaud, et celle du père Goriot, et le bruit d'un baiser. Il rentra dans un premier salon où il resta posé devant la fenêtre. Il voulait voir si ce père Goriot était bien réellement son père Goriot. Le valet de chambre attendait Eugène à la porte du salon. Il en sortit tout à coup un élégant jeune homme, qui dit impatiemment : « Je m'en vais, Maurice. Vous direz à madame la comtesse que je l'ai attendue plus d'une demi-heure. »

— Mais, monsieur le comte ferait mieux d'attendre encore un instant, Madame a fini, dit Maurice.

En ce moment, le père Goriot débouchait près de la porte cochère[1]. Il n'eut que le temps de se jeter en arrière pour n'être pas écrasé par un tilbury[2]. Le jeune homme qui conduisait celui-ci détourna la tête avec colère, regarda le père Goriot, et lui fit, un salut qui peignait la considération forcée que l'on accorde aux usuriers dont on a besoin. Le père Goriot répondit par un petit salut amical. Tout à coup, Eugène entendit la voix de la comtesse. Il se retourna brusquement et la vit coquettement vêtue d'un peignoir en cachemire blanc.

— Ah ! Maxime, vous vous en alliez, dit-elle avec un ton de reproche.

Quand Maxime prit sa main pour la baiser, Eugène

1. **cochère (n)** : porte par laquelle une voiture peut passer.
2. **tilbury (n)** : voiture légère à deux places, ordinairement découverte.

aperçut alors Maxime, et la comtesse aperçut Eugène.

— Ah ! C'est vous monsieur de Rastignac, je suis bien aise de vous voir, dit-elle.

Maxime regardait alternativement Eugène et la comtesse d'une manière assez significative pour faire décamper l'intrus[1]. Celle-ci consultait le visage de Maxime de cette intention soumise qui dit tous les secrets d'une femme sans qu'elle s'en doute. Rastignac se sentit une haine violente pour ce jeune homme. Il sentit la supériorité que la mise donnait à ce dandy, mince et grand. Madame de Restaud se sauva dans l'autre salon. Maxime la suivit. Eugène furieux suivit Maxime et la comtesse. La comtesse se tourna vers Eugène, et lui lança un de ces regards froidement interrogatifs qui disent si bien : Pourquoi ne vous en allez-vous pas ? Une porte s'ouvrit. Le monsieur qui conduisait le tilbury se montra soudain, ne salua pas la comtesse et tendit la main à Maxime en disant : « Bonjour ».

— Monsieur de Restaud, dit la comtesse à l'étudiant. Eugène s'inclina.

— Monsieur, dit-elle, est monsieur de Rastignac, parent de madame la vicomtesse de Beauséant.

Ces mots furent d'un effet magique, le comte quitta son air froidement cérémonieux et salua l'étudiant. Le comte Maxime de Trailles lui-même jeta sur Eugène un regard inquiet et quitta tout à coup son air impertinent.

— Monsieur votre grand-oncle ne commandait-il pas le Vengeur avant 1789 ? dit monsieur de Restaud.

— Précisément.

1. **intrus (n)** : personne qui s'introduit quelque part sans y être conviée.

— Alors, il a connu mon grand-père, qui commandait le Warwick.

— Écoutez, vous êtes en affaires, je ne veux pas vous gêner ; adieu dit Maxime.

— Venez dîner, dit la comtesse qui, laissant Eugène et le comte, suivit Maxime.

Rastignac les entendait tour à tour éclatant de rire, causant, se taisant.

— Anastasie, dit le comte appelant sa femme.

— Allons, mon pauvre Maxime, dit-elle, il faut se résigner. À ce soir...

— J'espère, Nasie, lui dit-il, que vous consignerez[1] ce petit jeune homme. Il vous ferait des déclarations, vous compromettrait[2], et vous me forceriez à le tuer.

— Êtes-vous fou ? dit-elle. Maxime sortit.

— Je viens de voir sortir de chez vous, dit Eugène, un monsieur avec lequel je suis porte à porte dans la même pension, le père Goriot. À ce nom, le comte se leva.

— Monsieur, vous auriez pu dire monsieur Goriot ! s'écria-t-il.

En prononçant le nom du père Goriot, Eugène avait donné un coup de baguette magique, mais dont l'effet était inverse de celui qu'avaient frappé ces mots : parent de madame de Beauséant. Il se trouvait dans la situation d'un homme introduit par faveur. Le visage de madame de Restaud était sec, froid et ses yeux devenus indifférents fuyaient ceux du malencontreux étudiant.

— Madame, dit-il, vous avez à causer avec monsieur de Restaud, veuillez agréer mes hommages.

1. **consigner (v)** : donner des ordres pour empêcher l'accès ou la sortie d'un lieu.
2. **compromettre (v)** : nuire à l'honneur, à la réputation.

— Toutes les fois que vous viendrez, dit la comtesse vous êtes sûr de nous faire le plus vif plaisir. Eugène salua et sortit.

— Toutes les fois que monsieur se présentera, dit le comte à Maurice, ni madame ni moi nous n'y serons.

— Allons, se dit Eugène, je suis venu faire une gaucherie dont j'ignore la cause et la portée. Il était sous l'empire d'une rage sourde. Je vais raconter mon aventure à madame de Beauséant. Elle saura sans doute le mystère des liaisons du père Goriot et de cette belle femme.

Arrivé chez madame de Beauséant, Eugène vit dans la cour l'un des plus élégants coupés de Paris. Diantre[1] ! ma cousine aura sans doute aussi son Maxime. À quatre heures et demie la vicomtesse était visible. Cinq minutes plus tôt, elle n'eût pas reçu son cousin. Elle était liée depuis trois ans avec un des plus célèbres et des plus riches seigneurs portugais, le marquis d'Ajuda Pinto. Eugène, qui ne savait rien des diverses étiquettes[2] parisiennes, monta le perron la mort dans l'âme.

— Adieu, dit le Portugais à la vicomtesse.

Le valet de chambre annonça monsieur de Rastignac.

— Madame dit Eugène en rougissant.

— Eh bien, dit-elle, à quoi puis-je vous être bonne ?

— Je voulais vous consulter en vous demandant de m'accepter comme un pauvre enfant qui saurait mourir pour vous.

— Vous tueriez quelqu'un pour moi ?

— J'en tuerais deux, dit Eugène.

— Enfant ! dit-elle.

1. **diantre (interj)** : diable.
2. **étiquette (n)** : cérémonial.

— J'avais remarqué madame de Restaud à votre bal, je suis allé ce matin chez elle.

— Vous avez dû bien la gêner, dit madame de Beauséant.

— Eh ! Oui, je suis un ignorant qui mettra contre lui tout le monde, si vous me refusez votre secours. Il me faut une femme qui m'apprenne ce que, vous autres femmes, vous savez si bien expliquer : la vie. Je venais donc à vous pour vous demander le mot d'une énigme, et vous prier de me dire de quelle nature est la sottise que j'y ai faite.

— Madame la duchesse de Langeais, annonça le valet.

— Eh ! bonjour, ma chère, dit la vicomtesse.

— Si j'avais su que vous fussiez occupée, dit la duchesse en se tournant vers Eugène.

— Monsieur est monsieur Eugène de Rastignac, un de mes cousins, dit la vicomtesse.

— Quelle sottise avez-vous donc faite, monsieur ? dit madame de Beauséant. Ce pauvre enfant est si nouvellement jeté dans le monde, qu'il ne comprend rien, ma chère Antoinette, à ce que nous disons.

— Madame, j'ai, sans le savoir, plongé un poignard dans le cœur de madame de Restaud.

— Mais madame de Restaud est, je crois, l'écolière de monsieur de Trailles, dit la duchesse.

— Je n'en savais rien, madame, reprit l'étudiant. Aussi me suis-je étourdiment jeté entre eux. Enfin, je m'étais assez bien entendu avec le mari, je me voyais souffert[1] pour un temps par la femme, lorsque je me suis avisé de leur dire que je connaissais un homme que je venais de voir sortant par un escalier dérobé,

1. **souffrir** (v) : tolérer, admettre.

un vieillard qui vit au fond du faubourg Saint-Marceau, comme moi et que nous appelons le père Goriot.

— Mais, enfant que vous êtes, s'écria la vicomtesse, madame Restaud est une demoiselle Goriot.

— Ah ! C'est son père, reprit l'étudiant en faisant un geste d'horreur.

— Mais oui ; ce bonhomme avait deux filles dont il est quasi fou, quoique l'une et l'autre l'aient à peu près renié. La seconde est mariée à un banquier alsacien, le baron de Nucingen.

— Elles ont renié leur père, répétait Eugène.

— Eh bien ! Oui, reprit la vicomtesse, un bon père qui leur a donné à chacune cinq ou six cent mille francs pour faire leur bonheur en les mariant bien, et qui ne s'était réservé que huit à dix mille livres de rente pour lui, croyant que ses filles resteraient ses filles, qu'il s'était créé chez elles deux maisons où il serait adoré, choyé[1]. En deux ans, ses gendres l'ont banni[2] de leur société comme le dernier des misérables.

Quelques larmes roulèrent dans les yeux d'Eugène.

— Eh ! mon Dieu, dit madame de Langeais, oui, cela semble bien horrible, et nous voyons cependant cela tous les jours. Je crois me rappeler que ce Foriot...

— Goriot, madame.

— Oui, ce Moriot a été président de sa section pendant la Révolution ; il a commencé sa fortune par vendre dans ce temps-là des farines dix fois plus qu'elles ne lui coûtaient. Eh bien, ce Loriot adore,

1. **choyé (adj)** : soigner avec tendresse.
2. **bannir (v)** : exclure, chasser.

dit-on, ses filles. Vous comprenez bien que, sous l'Empire, les deux gendres ne se sont pas trop formalisés d'avoir ce vieux chez eux. Mais quand les Bourbons sont revenus, le bonhomme a gêné monsieur de Restaud, et plus encore le banquier. Les filles, qui aimaient peut-être toujours leur père, ont voulu ménager le père et le mari ; elles ont reçu le Goriot quand elles n'avaient personne. Il a vu que ses filles avaient honte de lui, qu'il nuisait à ses gendres. Il s'est sacrifié, parce qu'il était père, il s'est banni de lui-même.

— Le monde est infâme, dit la vicomtesse.

— Le père Goriot est sublime ! dit Eugène.

— Eh bien ! monsieur de Rastignac, dit madame de Beauséant ; traitez ce monde comme il mérite de l'être. Vous voulez parvenir[1], je vous aiderai. Vous sonderez combien est profonde la corruption féminine, vous toiserez[2] la largeur de la misérable vanité des hommes. Plus froidement vous calculerez, plus avant vous irez. Frappez sans pitié, vous serez craint. Vous ne serez rien ici si vous n'avez pas une femme qui s'intéresse à vous. Mais si vous avez un sentiment vrai, cachez-le comme un trésor ; ne le laissez jamais soupçonner vous deviendriez la victime. Il existe quelque chose de plus épouvantable que ne l'est l'abandon du père par ses filles. C'est la rivalité des sœurs entre elles. Restaud a de la naissance, sa femme a été adoptée ; mais sa sœur, femme d'un homme d'argent, meurt de chagrin ; la jalousie la dévore. Si vous me la présentez, elle vous adorera. Servez-vous d'elle. Je la verrai une ou deux fois, en grande soirée.

1. **parvenir** (v) : arriver.
2. **toiser** (v) : mesurer.

Vous vous êtes fermée la porte de la comtesse pour avoir prononcé le nom du père Goriot. Eh bien ! que le père Goriot vous introduise près de madame Delphine de Nucingen. Soyez l'homme qu'elle distingue, les femmes raffoleront de vous. À Paris, le succès est tout, c'est la clef du pouvoir. Si les femmes vous trouvent de l'esprit, du talent, les hommes le croiront. Vous pourrez alors tout vouloir. Je vous donne mon nom comme un fil d'Ariane[1] pour entrer dans ce labyrinthe. Ne le compromettez pas. Allez, laissez-moi maintenant.

Eugène sortit. Arrivé à la pension, il vint dans cette salle à manger nauséabonde[2] où il aperçut, comme des animaux, les convives en train de se repaître[3]. Ce spectacle lui fut horrible. La transition était trop brusque pour ne pas développer chez lui le sentiment de l'ambition.

— Vous êtes bien sombre, monsieur, dit Vautrin, vous êtes de mauvaise humeur, parce que vous n'avez peut-être pas réussi auprès de la belle comtesse de Restaud.

— Elle m'a fermé sa porte pour lui avoir dit que son père mangeait à notre table, s'écria Rastignac.

Tous les convives s'entre-regardèrent. Le père Goriot baissa les yeux, et se retourna pour les essuyer.

— Qui vexera[4] le père Goriot s'attaquera désormais à moi, dit Eugène ; il vaut mieux que nous tous.

Le dîner devint sombre et froid. Eugène se leva et

1. **fil d'Ariane (loc)** : fil conducteur qui permet de se guider dans des recherches difficiles.
2. **nauséabond (adj)** : qui provoque le dégoût.
3. **repaître (v)** : se rassasier, se nourrir.
4. **vexer (v)** : blesser dans son amour-propre.

se retira dans sa chambre, où il écrivit à sa mère la lettre suivante :

« Ma chère mère, j'ai besoin de douze cents francs, et il me les faut à tout prix. Ne dis rien de ma demande à mon père, il s'y opposerait peut-être, et si je n'avais pas cet argent, je serais en proie à un désespoir qui me conduirait à me brûler la cervelle. Je dois aller dans le monde. Je sais toutes les espérances que vous avez mises en moi, et veux les réaliser promptement. Notre avenir est tout entier dans ce subside, avec lequel je dois ouvrir la campagne ; car cette vie de Paris est un combat perpétuel. » etc.

Il écrivit à chacune de ses sœurs en leur demandant leurs économies. Ces effroyables sacrifices allaient lui servir d'échelon pour arriver à Delphine de Nucingen. Quelques jours après, Eugène alla chez madame de Restaud et ne fut pas reçu. Trois fois, il y retourna, trois fois encore il trouva la porte close, quoiqu'il se présentât à des heures où le comte Maxime de Trailles n'y était pas. La vicomtesse avait eu raison. L'étudiant n'étudia plus. Il allait aux cours pour y répondre à l'appel et ensuite il décampait. Il voulut se mettre au fait de la vie antérieure du père Goirot. Voilà ce qu'il recueillit.

Jean-Joachim Goriot était, avant la révolution, un simple ouvrier vermicellier, économe et assez entreprenant pour avoir acheté le fonds de son maître. Il avait eu le bon sens d'accepter la présidence de sa section, en 1789, afin de faire protéger son commerce par les personnages les plus influents de cette dangereuse époque. Cette sagesse avait été l'origine de sa fortune qui commença dans la disette[1] par suite de

1. **disette (n)** : manque ou rareté de choses nécessaires.

laquelle les grains acquirent un prix énorme à Paris. Pendant cette année, le citoyen Goriot amassa les capitaux qui plus tard lui servirent à faire son commerce. Deux sentiments exclusifs avaient rempli le cœur du vermicellier, sa femme et ses deux filles. À la mort de sa femme, il voulu rester veuf et reporta ses affections sur ses deux filles. L'éducation de celles-ci fut naturellement déraisonnable. Le bonheur de Goriot était de satisfaire les fantaisies de ses filles : il leur suffisait d'exprimer les plus coûteux désirs pour voir leur père s'empressant de les combler. Quand ses filles furent en âge d'être mariées, elles purent choisir leurs maris suivant leurs goûts : chacune d'elles devait avoir en dot la moitié de la fortune de son père. Courtisée pour sa beauté par le comte de Restaud, Anastasie avait des penchants aristocratiques qui la portèrent à s'élancer dans les hautes sphères sociales. Delphine aimait l'argent : elle épousa Nucingen, banquier qui devint baron du Saint-Empire. Goriot resta vermicellier. Ses filles et gendres se choquèrent bientôt de lui voir continuer ce commerce. Après avoir subi pendant cinq ans leurs instances, il consentit à se retirer. Il se jeta dans cette pension par suite du désespoir qui l'avait saisi en voyant ses deux filles obligées par leurs maris de refuser non seulement de le prendre chez elles, mais encore de l'y recevoir ostensiblement[1].

1. **ostensiblement (adv) :** qu'on laisse voir de façon consciente.

II
L'entrée dans le monde

Au mois de décembre, Rastignac reçut deux lettres, l'une de sa mère et l'autre de sa sœur aînée qui répondaient toutes deux à ses espérances.

Quelques jours après, un facteur des Messageries royales se présenta à la pension. Il demanda monsieur Eugène de Rastignac, auquel il tendit deux sacs remplis d'argent. Rastignac surprit alors le regard profond que lui lança Vautrin.

— La maman s'est saignée[1], dit Vautrin. Vous pourrez maintenant aller dans le monde, y pêcher des dots.

L'étudiant s'était levé pour monter chez lui et se disposait[2] à s'en aller quand Vautrin le rejoignit et le prit familièrement par le bras.

— Vous avez de l'ambition, lui dit-il et vous vous demandez comment vous y prendre pour approvisionner la marmite ? Vous avez déjà choisi : parvenir à tout prix. Il vous a fallu de l'argent. Vous avez saigné vos sœurs. Savez-vous comment on fait son chemin ici ? Par l'éclat du génie ou par l'adresse de la corruption. L'honnêteté ne sert à rien. Je vais vous faire une proposition. Moi, voyez-vous, j'ai une idée : aller vivre au milieu d'un grand domaine aux États-Unis, m'y faire planteur, avoir des esclaves et vivre comme un souverain. Je possède en ce moment cinquante mille francs. J'ai besoin de deux cent mille francs. En deux mots, si je vous procure une dot d'un

1. **saigner** (v) : *ici,* épuiser en tirant toutes les ressources.
2. **se disposer** (v) : être sur le point de, se préparer à.

million, me donnerez-vous deux cent mille francs ?

— Que faut-il que je fasse ? dit avidement Rastignac.

— Faire la cour à une jeune personne qui se rencontre dans des conditions de solitude, de désespoir et de pauvreté sans qu'elle se doute de sa fortune à venir ! Viennent des millions à cette jeune fille, elle vous les jettera aux pieds.

— Mais où trouver une fille ? dit Eugène.

— Elle est devant vous !

— Mademoiselle Victorine ?

— Juste ! Elle vous aime déjà.

— Elle n'a pas un sou.

— Le père Taillefer est un vieux coquin[1] qui passe pour avoir assassiné l'un de ses amis pendant la Révolution, dit Vautrin. Il est banquier, a un fils unique, auquel il veut laisser son bien, au détriment de[2] Victorine. Je n'aime pas ces injustices-là. Si la volonté de Dieu était de lui retirer son fils, Taillefer reprendrait sa fille ; il voudrait un héritier quelconque, il ne peut plus avoir d'enfants, je le sais. Victorine sera trop sensible à votre amour pour vous oublier, vous l'épouserez. Moi, je me charge du rôle de la Providence.

— Quelle horreur ! dit Eugène.

— Vous ferez pis[3] quelque jour, dit Vautrin. Vous irez chez quelque jolie femme et vous recevrez de l'argent. Comment réussirez-vous, si vous n'escomptez pas votre amour ? La vertu ne se scinde[4] pas : elle est

1. **coquin (n)** : personne sans honneur ni probité, fripon.
2. **au détriment de** : au préjudice de.
3. **pis** : pire, chose plus mauvaise.
4. **se scinder (v)** : se diviser.

ou n'est pas. Entre ce que je vous propose et ce que vous ferez un jour, il n'y a que le sang de moins.

—Silence, monsieur.

—À votre aise, je vous croyais plus fort, dit Vautrin. Je vous donne quinze jours.

Puis il s'en alla tranquillement. Il m'a dit crûment[1] ce que madame de Beauséant me disait en y mettant des formes, se dit Eugène. Vouloir être grand ou riche, n'est-ce pas se résoudre à mentir, flatter, dissimuler ? n'est-ce pas consentir à se faire le valet de ceux qui ,ont menti, rampé ? Eh bien ! Non. je veux travailler noblement, ne devoir ma fortune qu'à mon labeur[2]. Ce sera la plus lente des fortunes, mais chaque jour ma tête reposera sur mon oreiller sans une pensée mauvaise.

Eugène fut tiré de sa rêverie par l'annonce de son tailleur. En se voyant bien mis, bien ganté, Rastignac oublia sa vertueuse résolution. Il partit se promener aux Tuileries en attendant l'heure de se présenter chez madame de Beauséant. Cette promenade fut fatale à l'étudiant. Quelques femmes le remarquèrent. En se voyant l'objet d'une attention presque admirative, il ne pensa plus à ses sœurs ni à sa tante dépouillées, ni à ses vertueuses répugnances. La parole de Vautrin s'était logée dans son cœur. Quand il entra chez Madame de Beauséant, celle-ci fit un geste sec, et lui dit d'une voix brève :

— Monsieur de Rastignac, il m'est impossible de vous voir, en ce moment ! Rastignac voulait arriver au bal de la duchesse de Carigliano pour y rencontrer madame de Nucingen, il dévora cette bourrasque[3].

1. **crûment (adv)** : manière dont le réalisme choque.
2. **labeur (n)** : travail long et pénible.
3. **bourrasque (n)** : brusque coup de vent.

— Madame, s'il ne s'agissait pas d'une chose importante, je ne serais pas venu vous importuner.

— Eh bien ! Venez dîner avec moi, dit-elle un peu confuse de sa dureté.

Eugène se dit en s'en allant : « Rampe, supporte tout. » Ainsi par une sorte de fatalité, les moindres événements de sa vie conspiraient à le pousser dans la carrière où il devait tuer pour ne pas être tué, où il devait déposer sa conscience, son cœur, mettre un masque, se jouer sans pitié des hommes. Quand il revint chez la vicomtesse, il la trouva pleine de cette bonté qu'elle lui avait toujours témoignée. Ils allèrent dans une salle à manger où le vicomte attendait sa femme et où resplendissait ce luxe de table qui sous la Restauration fut poussé au plus haut degré. Il était difficile à un homme de ne pas préférer cette vie à la vie de privations qu'il voulait embrasser le matin. Sa pensée le rejeta dans sa pension bourgeoise ; il en eut une si profonde horreur qu'il se jura de la quitter au mois de janvier.

Après le dîner, la comtesse l'emmena au théâtre. Il crut à quelque féerie lorsqu'il entra dans une loge de face, et qu'il se vit le but de toutes les lorgnettes[1].

— Ah ! Tenez, voici madame de Nucingen à trois loges de la nôtre.

— Elle est charmante, dit Eugène.

Delphine de Nucingen n'était pas peu flattée d'occuper exclusivement le jeune, le beau, l'élégant cousin de madame de Beauséant, il ne regardait qu'elle. En ce moment le marquis d'Ajuda se présenta dans la loge de madame de Beauséant.

— Vous connaissez assez madame de Nucingen

1. **lorgnette (n)** : petite jumelle utilisée surtout au spectacle.

pour lui présenter monsieur de Rastignac ? dit la vicomtesse au marquis d'Ajuda.

Le marquis pris le bras de l'étudiant qui en un clin d'œil se trouva auprès de madame de Nucingen.

— Madame la baronne, dit le marquis, j'ai l'honneur de vous présenter le chevalier Eugène de Rastignac, un cousin de la vicomtesse de Beauséant. Madame de Nucingen offrit à Eugène la place de son mari, qui venait de sortir.

— Madame de Restaud m'avait déjà donné le plus vif désir de vous voir, dit la baronne.

— Elle est donc bien fausse, elle m'a fait consigner à sa porte parce que j'ai eu l'imprudence de parler fort innocemment de votre père dont je suis le voisin. Vous ne sauriez croire combien ma cousine a trouvé cette apostasie filiale de mauvais goût. Ce fut alors que madame de Beauséant me dit combien vous étiez excellente pour mon voisin, monsieur Goriot. Madame de Nucingen trouva Rastignac charmant.

— Oui, ma sœur se fait tort par la manière dont elle se conduit avec ce pauvre père. Il a fallu que monsieur de Nucingen m'ordonnât de ne voir mon père que le matin, pour que je cédasse. Ces violences ont été l'une des raisons qui troublèrent le plus mon ménage.

— Vous n'avez jamais rencontré personne, lui dit Eugène, qui soit animé d'un plus vif désir de vous appartenir. En vous voyant, quand je suis entré, je me suis senti porté vers vous comme par un courant. Rastignac resta près de madame de Nucingen jusqu'au moment où son mari vint la chercher pour l'emmener. Si madame de Nucingen s'interesse à moi, je lui apprendrai à gouverner son mari. Ce mari fait des affaires d'or, il pourra m'aider à ramasser tout d'un coup une fortune. Ces idées, quoiqu'elles n'eussent pas l'âpreté[1] de celles de Vautrin, si elles avaient été soumises au creuset[2] de la conscience, elles n'auraient rien donné de bien pur.

Rentré à la pension, l'étudiant frappa à la porte du père Goriot.

— Mon voisin, dit-il, j'ai vu madame Delphine.

— Que vous a-t-elle donc dit de moi ? demanda-t-il.

Eugène, qui se trouvait pour la première fois chez le père Goriot, ne fut pas maître d'un mouvement de stupéfaction en voyant le bouge[3] où vivait le père. L'étudiant répéta les paroles de la baronne en les embellissant, et le vieillard l'écouta comme s'il eût entendu la parole de Dieu. Oh ! Si j'avais eu de bons gendres, j'aurais été trop heureux.

— Mais, monsieur Goriot, dit Eugène, comment, en ayant des filles aussi richement établies, pouvez-vous demeurer dans un taudis[4] pareil ?

— Ma foi, dit-il d'un air en apparence insouciant, à quoi cela me servirait-il d'être mieux ? Je n'ai point froid si elles ont chaud, je ne m'ennuie jamais si elles rient.

— Quand à moi, je suis tombé amoureux de madame Delphine, dit Eugène.

— Oh ! Que je vous aimerais, mon cher monsieur, si vous lui plaisiez. Mais, il fait froid ici pour vous. Adieu, mon voisin, dormez bien.

— Le pauvre homme, se dit Eugène. Sa fille n'a pas plus pensé à lui qu'au Grand-Turc.

1. **âpreté (n)** : violence, brutalité.
2. **creuset (n)** : point de rencontre de divers éléments qui se mêlent .
3. **bouge (n)** : petit logement pauvre, obscur et sale.
4. **taudis (n)** : logement misérable, insalubre.

Depuis cette conversation, le père Goriot vit dans son voisin un confident inespéré. Il se voyait un peu plus près de sa fille Delphine, si Eugène devenait cher à la baronne. Le lendemain après-midi, Goriot apporta à Eugène une lettre de Delphine de Nucingen. Celle-ci le priait d'accepter une place dans sa loge et de venir dîner chez elle. Quand il arriva, le soir, chez la baronne, celle-ci était triste.

— Mais qu'avez-vous ? dit Eugène.

— C'est des querelles de ménage. Je ne suis point heureuse, répondit la baronne.

— Que pouvez-vous désirez ? Vous êtes belle, jeune, aimée, riche.

— Je vais tout vous dire, mon ami. Vous me voyez riche, je parais ne manquer de rien. Eh bien ! Sachez que monsieur de Nucingen ne me laisse pas disposer d'un sou : il paye toute la maison, mes voitures, mes loges ; il me réduit à une misère secrète par calcul. Je suis trop fière pour l'implorer. Anastasie et moi nous avons égorgé notre pauvre père. Comment, moi riche de sept cent mille francs, me suis-je laissé dépouiller ? Le mariage est pour moi la plus horrible des déceptions. Si quelques femmes se vendent à leurs maris pour les gouverner, moi au moins je suis libre !

Elle se mit le visage dans ses mains, pour ne pas montrer ses pleurs à Eugène qui lui dégagea la figure pour la contempler. Elle est charmante, se dit Eugène qui s'éprenait de plus en plus. Après le dîner, ils allèrent aux Bouffons[1]. Dans la loge de madame de Nucingen, Eugène prit la main de la baronne. Pour eux, cette soirée fut enivrante. Quand il rentra à la pension, le père Goriot l'attendait. Eugène ne lui cacha rien.

1. **Bouffons** : nom d'un opéra de Paris.

— La pauvre petite, c'est à fendre l'âme. Voilà ce que c'est que des gendres ! Elle doit, d'après son contrat, jouir de ses biens. Je vais aller trouver Derville, un avoué[1], dès demain. Je vais faire exiger le placement de sa fortune.

Le lendemain, Rastignac alla chez madame de Beauséant, qui l'emmena pour le présenter à la duchesse de Carigliano. Il reçut le plus gracieux accueil de la maréchale, chez laquelle il retrouva madame de Nucingen. Pendant cette fête, l'étudiant mesura tout à coup la portée de sa position, et comprit qu'il avait un état dans le monde en étant cousin avoué de madame de Beauséant. Les jeunes gens lui jetaient des regards d'envie ; les femmes lui prédisaient toutes des succès. Cette soirée eut donc pour lui les charmes d'un brillant début.

Plusieurs jours se passèrent pendant lesquels Rastignac mena la vie la plus dissipée. Il dînait presque tous les jours avec madame de Nucingen, qu'il accompagnait dans le monde. Il jouait gros jeu, perdait ou gagnait beaucoup. Sur ses premiers gains, il avait renvoyé quinze cents francs à sa mère et à ses sœurs. Quoiqu'il eût annoncé vouloir quitter la Maison-Vauquer, il y était encore dans les derniers jours du mois de janvier. Vers cette époque, il avait perdu son argent, et s'était endetté. L'étudiant commençait à comprendre qu'il lui serait impossible de continuer cette existence sans avoir des ressources fixes. Mais, il se sentait incapable de renoncer aux jouissances excessives de cette vie. Il s'était aperçu que, pour convertir l'amour en instrument de fortune, il fallait avoir bu toute honte, et renoncer aux nobles idées. Eugène, qui, pour la première fois

1. **avoué (n)** : officier ministériel à la cour d'appel.

depuis longtemps, avait dîné à la pension, s'était montré pensif pendant le repas. Au lieu de sortir au dessert, il resta dans la salle à manger assis auprès de mademoiselle Taillefer. Frappé de la préoccupation à laquelle Eugène était en proie, Vautrin resta dans la salle à manger et se tint constamment de manière à n'être pas vu d'Eugène. Il avait lu dans l'âme de l'étudiant et pressentait un symptôme décisif. Rastignac se trouvait en effet dans une situation perplexe. Depuis un mois Delphine irritait si bien ses sens, qu'elle avait fini par attaquer le cœur. Tout Paris lui donnait madame de Nucingen, auprès de laquelle il n'était pas plus avancé que le premier jour où il l'avait vue. En se voyant sans un sou, sans avenir, il pensait, malgré la voix de sa conscience, aux chances de fortune dont Vautrin lui avait démontré la possibilité dans un mariage avec mademoiselle Taillefer. Il regarda celle-ci d'une manière assez tendre.

— Auriez-vous des chagrins, monsieur Eugène ? lui dit Victorine.

— Quel homme n'a pas ses chagrins !

Mademoiselle Taillefer lui jeta un regard qui n'était pas équivoque.

— Vous, mademoiselle, vous vous croyez sûre de votre cœur aujourd'hui ; mais répondriez-vous de ne jamais changer ? Si demain vous étiez riche et heureuse, si une immense fortune vous tombait des nues, vous aimeriez encore le jeune homme pauvre qui vous aurait plu durant vos jours de détresse ?

Elle fit un joli signe de tête.

— Il y aurait donc promesse de mariage entre monsieur le chevalier Eugène de Rastignac et mademoiselle Victorine Taillefer ? dit Vautrin en se montrant tout à coup.

— Pas de mauvaises plaisanteries, messieurs, dit

madame Couture. Ma fille, remontons chez nous.

— Je savais bien que vous y arriveriez, lui dit Vautrin. Voilà qui est dit. Vous épouserez. Il sortit sans attendre la réponse négative de l'étudiant, afin de le mettre à l'aise.

— Qu'il fasse comme il voudra se dit Eugène, je n'épouserai certes pas mademoiselle Taillefer !

III
Trompe-la-mort

Deux jours après, Poiret et mademoiselle Michonneau se trouvaient assis au jardin des plantes et causaient avec un certain monsieur Gondureau, homme de la police.

— Son excellence Monseigneur le Ministre de la Police Générale, disait ce dernier, la certitude que le prétendu Vautrin est un forçat[1] évadé du bagne de Toulon, où il est connu sous le nom de Trompe-la-Mort. Ce dernier a toute la confiance des trois bagnes, qui l'ont choisi pour être leur agent et leur banquier. Il gagne beaucoup à s'occuper de ce genre d'affaires. Il reçoit les capitaux de messieurs les forçats, les place et les conserve pour eux, dit l'agent. Il encaisse également les sommes qui proviennent de la Société des Dix Mille, association de hauts voleurs qui ne se mêlent pas d'une affaire où il n'y a pas dix mille francs à gagner. Saisir Trompe-la-Mort et s'emparer de sa banque, ce sera couper le mal dans sa racine. Mais cet homme a su se créer une police à lui et quoique depuis un an nous l'ayons entouré d'espions, nous n'avons pas encore pu voir dans son jeu. Aussi faut-il vérifier.

— Mais je ne vois pas à quoi je suis bonne pour une semblable vérification, dit mademoiselle Michonneau.

— Je vous remettrai un flacon contenant une dose de liqueur préparée pour donner un coup de sang qui n'a pas le moindre danger et simule une apoplexie.

1. **forçat (n)** : condamné aux galères, au bagne.

Sur-le-champ vous transporterez votre homme sur un lit et vous le déshabiller afin de savoir s'il ne meurt pas. Ensuite, vous lui donnerez une claque sur l'épaule et vous verrez reparaître les lettres[1].

— Eh bien ! reprit mademoiselle Michonneau, donnez-moi trois mille francs si c'est Trompe-la Mort, et rien si c'est un bourgeois.

— Ça va, dit Gondureau en se levant.

En entrant à la pension, ils ne manquèrent pas d'apercevoir Eugène engagé avec mademoiselle Taillefer dans une intime causerie[2].

Eugène avait été, pendant la matinée, réduit au désespoir par madame de Nucingen. Dans son for intérieur[3], il s'était abandonné complètement à Vautrin. Il fallait un miracle pour le tirer de l'abîme où il avait déjà mis le pied depuis une heure, en échangeant avec mademoiselle Taillefer les plus douces promesses. Vautrin entra joyeusement. Victorine se sauva.

— L'affaire est faite, dit Vautrin à Eugène. Notre pigeon a insulté mon faucon. À huit heures et demie, mademoiselle Taillefer héritera de l'amour et de la fortune de son père.

Rastignac écoutait d'un air stupide et ne pouvait rien répondre. Il résolut pourtant d'aller prévenir pendant la soirée messieurs Taillefer père et fils. Vautrin l'ayant quitté, le père Goriot lui dit à l'oreille :

— Vous êtes triste, mon enfant ! je vais vous égayer[4], moi. Vous avez cru ce matin qu'elle ne vous

1. **lettres** : marque que l'on appliquait au fer rouge aux forçats.
2. **causerie (n)** : discussion.
3. **for intérieur (n)** : jugement de la conscience morale.
4. **égayer (v)** : rendre gai.

aimait pas, hein ! Et vous vous en êtes allé fâché, désespéré. Elle m'attendait. Nous devions aller achever d'arranger un bijou d'appartement dans lequel vous irez demeurer d'ici à trois jours. Elle veut vous faire une surprise. Mon avoué s'est mis en campagne, ma fille aura ses trente-six mille francs par an. Mais, voyez-vous, il y avait à moi bien de l'égoïsme. Vous ne me refuserez pas, hein ! Si je vous demande quelque chose ?

— Que voulez-vous ?

— Au-dessus de votre appartement, il y a une chambre qui en dépend, j'y demeurerai, pas vrai ? Je ne vous gênerai pas. Vous me parlerez d'elle tous les soirs. Quand vous rentrerez, je vous entendrai, je me dirai : il vient de voir ma petite Delphine. Elle est heureuse par lui. Elle me disait tout à l'heure : « Papa, je suis bien heureuse ! » Le bonhomme s'essuya les yeux, il pleurait. — Il y a longtemps que je n'avais entendu cette phrase, longtemps qu'elle ne m'avait donné le bras. Oh ! Si cette grosse souche[1] d'Alsacien mourait. Vous irez la voir ce soir, elle vous attend. Vous me prendrez avec vous, n'est-ce pas ?

— Oui, mon bon père Goriot.

— Je le vois, vous n'avez pas honte de moi, vous ! Laissez-moi vous embrasser. Vous la rendrez bien heureuse. Puis-je vous être bon à quelque chose ?

— Ma foi, oui ! Pendant que j'irai chez madame de Nucingen, allez chez Monsieur Taillefer le père, lui dire de me donner une heure dans la soirée pour lui parler d'une affaire de la dernière importance.

— Serait-ce donc vrai, jeune homme, dit le père Goriot en changeant de visage ; feriez-vous la cour à

1. **souche (n)** : partie d'un arbre, *ici,* insulte.

sa fille, comme le disent ces imbéciles d'en bas ?

— Je vous jure que je n'aime qu'une femme au monde, dit l'étudiant. Mais le fils de Taillefer se bat demain, et j'ai entendu dire qu'il serait tué. Il faut lui dire d'empêcher son fils de se battre.

— Messieurs, cria Christophe, la soupe vous attend.

— Vous êtes gai[1] comme un pinson[2], aujourd'hui, dit madame Vauquer à Vautrin.

— Je suis toujours gai quand j'ai fait de bonnes affaires. Christophe ! va nous chercher huit bouteilles de vin de Bordeaux.

En un moment le vin de Bordeaux circula, les convives s'animèrent, la gaieté redoubla. Vautrin surveillait Eugène et le père Goriot, qui semblaient ivres déjà. Tous deux étaient préoccupés de ce qu'ils avaient à faire pendant la soirée, et néanmoins ils se sentaient incapables de se lever. Au moment où leurs yeux vacillèrent[3], Vautrin se pencha à l'oreille de Rastignac et lui dit : « Mon petit gars, papa Vautrin vous aime trop pour vous laisser faire des sottises. Quand j'ai résolu quelque chose, le bon Dieu seul est assez fort pour me barrer le passage. Ah ! vous vouliez aller prévenir le père Taillefer. Non, non.» Eugène entendit ces paroles sans pouvoir y répondre. Il se trouvait en proie à une somnolence invincible. Aidées par Sylvie, madame Couture et Victorine transportèrent Eugène dans sa chambre et le couchèrent. Vautrin sortit. Pendant ce temps, mademoiselle Michonneau venait de sortir, accompagnée de Poiret pour aller trouver le chef de la police.

1. **gai (adv)** : qui est de bonne humeur, content.
2. **pinson (n)** : oiseau.
3. **vaciller (v)** : perdre son équilibre.

Le lendemain devait prendre place parmi les jours les plus extraordinaires de l'histoire de la Maison Vauquer. Vautrin sortit avant huit heures et revint au moment même où le déjeuner fut servi. Pendant que Sylvie et le domestique s'absentèrent mademoiselle Michonneau, descendant la première versa la liqueur dans le gobelet appartenant à Vautrin et dans lequel la crème pour son café chauffait. Au moment où Eugène descendait, un commissionnaire lui remit une lettre de madame de Nucingen qui s'inquiètait de ne pas l'avoir vu.

— Quelle heure est-il ? s'écria Eugène.

— Onze heures et demie, dit Vautrin en sucrant son café. Le forçat évadé jeta sur Eugène un regard froidement fascinateur. Eugène trembla de tous ses membres. Le bruit d'un fiacre[1] se fit entendre et un domestique à la livrée de monsieur Taillefer entra précipitamment.

— Mademoiselle, s'écria-t-il, monsieur votre père vous demande. Monsieur Frédéric s'est battu en duel, il a reçu un coup d'épée. Les médecins désespèrent de le sauver.

— Pauvre jeune homme ! s'écria Vautrin. Victorine et madame Couture s'envolèrent sans châle ni chapeau.

— Voilà ! dit Vautrin en regardant Eugène, hier elle était sans un sou, ce matin elle est riche de plusieurs millions.

— Dites donc, monsieur Eugène, s'écria madame Vauquer, vous avez mis la main au bon endroit.

— Madame, je n'épouserai jamais mademoiselle Victorine, dit Eugène.

En ce moment la potion absorbée par Vautrin

1. **fiacre (n)** : voiture de louage.

commençait à opérer. Il se leva et tomba raide mort.

— Sylvie, va chercher le médecin, cria la veuve. Aidez-moi à le transporter là-haut, chez lui.

— Allez donc voir si vous avez de l'éther[1], dit à madame Vauquer mademoiselle Michonneau qui, aidée par Poiret, avait défait les habits de Vautrin. Madame Vauquer descendit.

— Allons, ôtez-lui donc sa chemise et retournez-le vite ! Mademoiselle Michonneau appliqua sur l'épaule du malade une forte claque et les deux fatales lettres reparurent en blanc au milieu de la place rouge. Rastignac était sorti pour marcher, il étouffait. Ce crime, il avait voulu l'empêcher la veille. Il tremblait d'en être le complice.

— Si Vautrin mourait sans parler, se disait Rastignac. Quand il rentra à la nuit tombante, Vautrin se trouvait debout près du poêle[2] dans la salle à manger. En ce moment, l'on entendit le bruit de fusils que des soldats firent sonner sur le pavé de la rue. Quatre hommes se montrèrent. Le premier était le chef de la police de sûreté. Il alla droit à Vautrin.

— Je me rends, dit celui-ci. Messieurs, dit-il en s'adressant aux pensionnaires, ils vont m'emmener. Vous avez été tous très aimables pour moi pendant mon séjour ici, j'en aurai de la reconnaissance. Recevez mes adieux. Ses yeux s'arrêtèrent sur Rastignac.

— Notre marché va toujours, mon ange, en cas d'acceptation, toutefois ! En ce moment, un commis-

1. **éther (n)** : liquide utilisé comme solvant et comme anesthésique.
2. **poêle (n)** : appareil de chauffage.

sionnaire entra, remit une lettre à madame Vauquer.

— Le fils Taillefer est mort à trois heures, dit-elle. Madame Couture et Victorine vont demeurer chez son père. Le roulement d'une voiture qui s'arrêtait retentit tout à coup dans la rue.

— Goriot en fiacre, dirent les pensionnaires, la fin du monde arrive.

Le bonhomme alla droit à Eugène.

— Venez, lui dit-il d'un air joyeux.

— Vous ne savez donc pas ce qui se passe ? lui dit Eugène. Vautrin était un forçat que l'on vient d'arrêter et le fils Taillefer est mort.

— Eh bien ! qu'est-ce que ça nous fait ? répondit le père Goriot. Je dîne avec ma fille, chez vous. Elle vous attend. Voici quatre ans que je n'ai plus dîné avec ma Delphine.

Il le fit monter en voiture. Celle-ci s'arrêta rue d'Artois. Eugène se vit dans un délicieux appartement de garçon. Il prit Delphine dans ses bras, la serra vivement et pleura de joie.

— A-t-on bien deviné vos vœux ? dit-elle.

— Oui, dit-il, trop bien. Hélas ! je ne puis accepter ça de vous.

— Comment ! dit madame de Nucingen, vous refuseriez ?

— Je vais vous décider, dit le père Goriot. J'ai payé toutes les factures. Vous m'en ferez une reconnaissance et vous me les rendrez plus tard.

— Mais, comment avez-vous donc fait, dit madame de Nucingen.

— J'ai vendu mes treize cent cinquante livres de rente perpétuelle.

— Oh ! papa.

Elle le couvrit de baisers. Eugène était pétrifié par l'inépuisable dévouement de cet homme. La soirée tout entière fut employée en enfantillages. Il était minuit quand le père Goriot et Eugène rentrèrent à la Maison-Vauquer. Le lendemain, Eugène reçut une lettre aux armes de Beauséant. Elle contenait une invitation adressée à monsieur et madame de Nucingen pour le grand bal qui devait avoir lieu chez la vicomtesse. Il alla promptement chez Delphine.

— Devinez ce que je vous apporte, dit Eugène. Madame de Nucingen fit un mouvement de joie en voyant l'invitation.

— Et c'est vous à qui je dois ce bonheur ?

— Ne pensez-vous pas, dit Eugène que madame de Beauséant a l'air de nous dire qu'elle ne compte pas voir le baron de Nucingen à son bal ?

— Mais oui, dit la baronne. Mais n'importe, j'irai. Ma sœur doit s'y trouver, je sais qu'elle prépare une toilette délicieuse. Je ne veux pas être au-dessous d'elle. Elle a toujours cherché à m'écraser.

IV
La mort du père

Le lendemain, vers midi le bruit d'un équipage retentit dans la rue Neuve-Sainte-Geneviève. Madame de Nucingen descendit de sa voiture, demanda si son père était encore à la pension. Eugène se trouvait chez lui sans que son voisin le sût. Reconnaissant la voix de Delphine il s'arrêta pour l'entendre.

— Ah ! Mon père, dit Delphine, votre avoué nous a fait découvrir un peu plus tôt le malheur qui sans doute éclatera plus tard. Lorsque monsieur Derville a vu Nucingen lui opposer mille chicanes[1], il l'a menacé d'un procès. Ce dernier est venu ce matin chez moi pour me demander si je voulais sa ruine et la mienne. Il a jeté tous ses capitaux et les miens dans des entreprises à peine commencées. Si je le forçais à me représenter ma dot, il serait obligé de déposer son bilan ; tandis que, si je veux attendre un an, il s'engage sur l'honneur à me rendre une fortune double ou triple de la mienne en plaçant mes capitaux. Il m'a demandé pardon de sa conduite, il m'a rendu ma liberté, m'a permis de me conduire à ma guise[2], à condition de le laisser entièrement maître de gérer les affaires sous mon nom.

— Et tu crois à ces sornettes[3], s'écria le père Goriot. Nous allons tirer ça au clair, vérifier les livres, la caisse, les entreprises ! Te savoir tranquille et heu-

1. **chicanes (n)** : querelle, dispute sans fondement.
2. **guise (n)** : gré, suivre son bon vouloir.
3. **sornettes (n)** : propos frivoles, bêtises.

reuse du côté de l'argent, mais cette pensée allégeait[1] tous mes maux et calmait mes chagrins. Mon Dieu, j'ai la tête en feu, j'ai dans le crâne quelque chose qui me brûle. Allons ! Partons, je veux aller tout voir.

— Mon cher père ! Allez-y prudemment. Il est homme à s'enfuir avec tous les capitaux.

Il sait bien que je ne déshonorerai pas moi-même le nom que je porte en le pousuivant. Écoutez en deux mots son langage : « Ou tout est perdu, vous êtes ruinée ; ou vous me laisserez conduire à bien mes entreprises. » C'est une association voleuse à laquelle je dois consentir sous peine d'être ruinée. Il m'achète ma conscience et la paye en me laissant être à mon aise[2] la femme d'Eugène. « Je te permets de commettre des fautes, laisse-moi faire des crimes en ruinant de pauvres gens ! » Il achète des terrains nus sous son nom, puis il y fait bâtir des maisons par des hommes de paille[3]. Ces hommes concluent les marchés pour les bâtisses[4] avec tous les entrepreneurs, qu'ils payent en effets à longs termes[5], et consentent, moyennant une légère somme, à donner quittance[6] à mon mari, qui est alors possesseur des maisons, tandis que ces hommes s'acquittent avec les entrepreneurs dupés en faisant faillite. Le nom de la maison Nucingen a servi à éblouir les pauvres constructeurs.

— Mon Dieu, que t'ai-je fait ? cria le vieillard. Ma fille livrée à ce misérable.

1. **alléger (v)** : diminuer le poids.
2. **à mon aise** : *ici,* sans être gêné.
3. **homme de paille** : prête-nom.
4. **bâtisse (n)** : grand bâtiment sans caractère.
5. **effet à long terme** : titre portant engagement de payer une somme.
6. **quittance (n)** : document sur lequel un créancier atteste qu'un débiteur s'est acquitté de sa dette.

— Cher père, je ne vous reproche rien. En ceci la faute est toute à moi.

En ce moment une voiture s'arrêta dans la rue Neuve-Sainte-Geneviève, et l'on entendit dans l'escalier la voix de madame de Restaud.

— Je suis perdue, mon pauvre père ! dit la comtesse en entrant.

— Qu'as-tu, Nasie ? cria le père Goriot. Dis vite, tu me tues...

— Eh bien ! dit la pauvre femme, Maxime m'a dit qu'il devait cent mille francs et qu'il voulait se brûler la cervelle. Je suis devenue folle. Pour sauver sa vie, j'ai porté chez cet usurier, ce monsieur Gobseck, les diamants de famille auxquels tient tant monsieur de Restaud, je les ai vendus. Restaud a tout su. Hier, il m'a fait appeler dans sa chambre. « Anastasie, m'a-t-il dit, où sont vos diamants ? » Chez moi. «Non, ils sont là, sur ma commode. J'ensevelis tout dans le silence, nous resterons ensemble, nous avons des enfants. Je ne tuerai pas monsieur de Trailles mais jurez-moi de m'obéir désormais sur un seul point.» J'ai juré. « Vous signerez la vente de vos biens quand je vous le demanderai. »

— Ne signe jamais cela, cria le père Goriot. Oh mes enfants ! Voilà donc votre vie ? Mais c'est ma mort. Que deviendrez-vous donc quand je ne serai plus là?

— Mon père ! Ce n'est pas tout, dit Anastasie. Les diamants n'ont pas été vendus cent mille francs. Maxime est poursuivi. Nous n'avons plus que douze mille francs à payer. Il ne me reste plus au monde que son amour, et je l'ai payé trop cher pour ne pas mourir s'il m'échappait.

— Je ne les ai pas, Nasie. Je n'ai plus que douze cents francs de rente viagère...

— Qu'avez-vous donc fait de vos rentes perpétuelles ?

— Je les ai vendues. Il me fallait douze mille francs pour arranger un apppartement à Fifine.

— Pour monsieur de Rastignac, demanda Anastasie. Ah ! Ma pauvre Delphine, arrête-toi. Vois où j'en suis.

— Ma chère, monsieur de Rastignac est un jeune homme incapable de ruiner sa maîtresse.

— Merci, Delphine. Dans la crise où je me trouve, j'attendais mieux de toi ; mais tu ne m'as jamais aimée.

— Comment t'es-tu comportée envers moi ? dit Delphine. Tu m'as fait fermer les portes de toutes les maisons où je souhaitais aller. Suis-je venue, comme toi soutirer à ce pauvre père sa fortune, et le réduire dans l'état où il est ? Je ne l'ai pas mis à la porte, et je ne suis pas venue lui lécher les mains quand j'avais besoin de lui.

— Tu as toujours été vilaine comme l'or, dit Anastasie.

— Ah ! dit le père Goriot, vous m'avez fendu[1] le cœur. Je me meurs, mes enfants ! Le crâne me cuit intérieurement comme s'il avait du feu. Si je savais où aller voler, dit-il en s'arranchant les cheveux. Je n'ai plus qu'à mourir, je ne suis plus père. Elle me demande et moi, misérable, je n'ai rien. Crève, crève comme un chien.

Il sanglotait. Eugène, épouvanté, redigea une lettre de change[2] de douze mille francs à l'ordre de Goriot et entra.

1. **fendre (v) :** *ici,* faire ressentir un gros chagrin.
2. **lettre de change :** effet de commerce.

— Voici tout votre argent, madame, dit-il en présentant le papier. Je dormais, votre conversation m'a réveillé, j'ai pu savoir ainsi ce que je devais à monsieur Goriot. En voici le titre que vous pouvez négocier, je l'acquitterai fidèlement.

— Delphine, dit-elle pâle et tremblante de colère, je te pardonnais tout, mais ceci ! Monsieur était là, tu le savais ! Tu as eu la petitesse de te venger en me laissant lui livrer mes secrets. Va, tu ne m'es plus rien, je te hais.

— Mais c'est mon fils, ton frère, criait le père Goriot.

— Laissez-la, mon père, elle est folle en ce moment, dit Delphine.

— Mes enfants, je meurs si vous continuez, cria le vieillard en tombant sur son lit.

— Tu as tué notre père, Nasie ! dit Delphine en montrant le vieillard évanoui à sa sœur, qui se sauva.

— Je lui pardonne bien, dit le bonhomme en ouvrant les yeux, sa situation est épouvantable.

En ce moment la comtesse rentra, se jeta aux genoux de son père :

— Pardon ! cria-t-elle.

— Nasie, lui dit Delphine en la serrant, oublions tout.

— Les anges, s'écria le père Goriot, votre voix me ranime. Eh bien ! Nasie, cette lettre de change te sauvera-t-elle ?

— Je l'espère, dit-elle. Dites donc, papa, voulez-vous y mettre votre signature ?

— Elle est revenue pour l'endos, dit Eugène à l'oreille de Delphine. Méfiez-vous d'elle. Puis Eugène aida le père Goriot à se coucher.

Le lendemain, quand Eugène entra chez le père Goriot, il trouva le vieillard gisant sur son lit.

Bianchon, un étudiant en médecine qui dînait à la pension, était auprès de lui.

— Bonjour, père, lui dit Eugène.

— Ne le fatigue pas, dit Bianchon en entraînant Eugène dans un coin de la chambre. Il ne peut être sauvé que par un miracle. Une congestion séreuse[1] a eu lieu. Ce fichu[2] bonhomme a commis ce matin une imprudence. Il est sorti vers le matin, à pied. Il a emporté tout ce qu'il possédait de vaillant, il a été faire quelque trafic pour lequel il a outrepassé ses forces ! Une de ses filles est venue.

— Anastasie est venue ? demanda Rastignac au père Goriot.

— Oui, répondit celui-ci. Elle était bien malheureuse. Nasie n'a plus un sou. Elle avait commandé, pour le bal de madame de Beauséant, une robe lamée[3]. Sa couturière n'a pas voulu lui faire crédit. Son mari veut qu'elle aille à ce bal pour montrer à tout Paris les diamants qu'on prétend vendus par elle. J'ai été si humilié de n'avoir pas eu douze mille francs hier, que j'aurais donné le reste de ma misérable vie pour racheter ce tort-là. J'ai vendu pour six cents francs de couverts et de boucles, puis j'ai engagé, pour un an, mon titre de rente viagère contre quatre cents francs, au papa Gobseck. Au moins elle aura une belle soirée, ma Nasie. Demain, elle vient à dix heures. Je ne veux pas qu'elles me croient malade, elles n'iraient point au bal, elles me soigneraient.

1. **congestion séreuse** : excès de sang dans les vaisseaux d'un organe.
2. **fichu (adj)** : maudit, malheureux.
3. **lamée (adj)** : faite d'une étoffe de laine ou soie entremêlée de fils d'or, d'argent, de métal brillant.

Eugène et Bianchon passèrent la nuit à garder le malade. Le lendemain, madame de Restaud envoya chercher sa somme par un commissionnaire.

— Ce n'est pas mal, dit le père Goriot, elle se serait inquiétée.

À sept heures du soir, Thérèse, la femme de chambre de Delphine, vint apporter une lettre pour Eugène. « Que faites-vous donc, mon ami ? Songez que je vous attends ce soir pour aller au bal de madame de Beauséant. Si vous n'étiez pas près de moi dans deux heures, je ne sais si je vous pardonnerais cette félonie. » Rastignac prit une plume et répondit ainsi : « J'attends un médecin pour savoir si votre père doit vivre encore. Il est mourant. J'irai vous porter l'arrêt. Vous verrez si vous pouvez aller au bal. » Le médecin vint à huit heures et demie et annonça des mieux et des rechutes alternatives. Eugène confia le père Goriot aux soins de Bianchon, et partit chez madame de Nucingen. Le jeune homme se présenta navré de douleur à Delphine, et la trouva coiffée, chaussée, n'ayant plus que sa robe de bal à mettre.

— Eh quoi, vous n'êtes pas habillé, dit-elle.

— Mais madame, votre père...

— Encore mon père, s'écria-t-elle. Nous causerons de mon père en allant au bal.

Il alla s'habiller en faisant les plus tristes réflexions. Il pressentait que Delphine était capable de marcher sur le corps de son père pour aller au bal, et il n'avait ni la force de jouer le rôle d'un raisonneur, ni le courage de lui déplaire, ni la vertu de la quitter. Il entassa des raisonnements pour justifier Delphine. Elle ne connaissait pas l'état dans lequel était son père. Il adorait cette femme pour les voluptés qu'il lui avait apportées et pour toutes celles qu'il en avait reçues.

— Eh bien ! Comment va mon père ? lui dit

madame de Nucingen quand il fut de retour.

— Extrêmement mal. Si vous voulez me donner une preuve de votre affection, nous courrons le voir.

— Eh bien, oui, dit-elle mais après le bal.

En rentrant dans le bal, Eugène en fit le tour avec madame de Beauséant. Bientôt il aperçut les deux sœurs. La comtesse était magnifique avec tous ses diamants étalés. Il revit alors, sous les diamants des deux sœurs, le grabat[1] sur lequel gisait le père Goriot. Il s'en alla vers cinq heures.

— Nous ne sauverons pas le pauvre père Goriot, lui dit Bianchon quand il entra chez son voisin.

— Mon ami, lui dit Eugène, va, poursuis la destinée modeste à laquelle tu bornes tes désirs. Moi je suis en enfer, et il faut que j'y reste.

Le lendemain, l'état du père Goriot avait fort empiré.

— Le bonhomme n'a peut-être pas six heures à vivre, dit l'élève en médecine.

— Ah ! C'est vous, mon cher enfant, dit le père Goriot en reconnaissant Eugène. Avez-vous vu mes filles ? Elles accourront aussitôt qu'elles me sauront malade.

— J'entends Christophe, lui dit Eugène.

— Mes filles vous ont dit qu'elles allaient venir, n'est-ce pas, Christophe ? Vas-y encore. Dis-leur que je voudrais les embrasser encore une fois avant de mourir. Oh ! Je souffre trop !

Goriot garda le silence pendant un moment. Un leger assoupissement survint. Christophe revint. Rastignac, qui croyait le père Goriot endormi, laissa le garçon lui rendre compte à haute voix de sa mission.

1. **grabat (n)** : très mauvais lit.

— Je suis d'abord allé chez madame la comtesse, à laquelle il m'a été impossible de parler, elle était dans de grandes affaires avec son mari. Quand à madame la baronne, la femme de chambre m'a dit qu'elle dormait.

— Aucune de ses filles ne viendrait ! s'écria Rastignac.

— Aucune, répondit le vieillard. Je le savais. Ah ! Mon ami, ne vous mariez pas, n'ayez pas d'enfants ! Vous leur donnez la vie, ils vous donnent la mort. Je sais cela depuis dix ans. Je me le disais quelquefois, mais je n'osais pas y croire. Elles ont toutes les deux des cœurs de roche. Si vous saviez comme elles étaient aux petits soins pour moi dans les premiers temps de leur mariage, mais c'était pour mon argent ! Un homme qui donne huit cent mille francs à ses deux filles était un homme à soigner. Le monde n'est pas beau. Anastasie, Delphine ! Je veux les voir, n'importe ce qu'elles me diront, ça calmera mes douleurs. Je les aime tant, que j'avalais tous les affronts. Je leur ai donné ma vie, elles ne me donneront pas une heure aujourd'hui ! Tout est de ma faute, je les ai habituées à me fouler aux pieds. J'aimais cela, moi. Je veux mes filles ! Je les ai faites ! Elles sont à moi ! Mourrai-je donc comme un chien ? Ce sont des infâmes, je les maudis.

— Je vais aller chercher vos filles, mon bon père Goriot, je vous les ramènerai.

— Je les bénis, dit-il en faisant un effort.

Il s'affaissa tout à coup. Rastignac partit pour aller chez madame de Restaud. Quand il arriva, le valet de chambre l'introduisit dans le premier salon où monsieur de Restaud reçut l'étudiant debout.

— Monsieur le comte, lui dit Rastignac, monsieur votre beau-père expire en ce moment dans un bouge infâme.

— Monsieur, lui répondit avec froideur le comte de Restaud, vous avez pu vous apercevoir que j'ai fort peu de tendresse pour monsieur Goriot. Qu'il meure, qu'il vive, tout m'est parfaitement indifférent.

— Monsieur le comte, il ne m'appartient pas de juger de votre conduite, promettez-moi seulement de dire à madame de Restaud que son père n'a pas un jour à vivre.

— Dites-le-lui vous-même, répondit le comte. Rastignac entra dans le salon où se tenait habituellement la comtesse ; il la trouva noyée de larmes comme une femme qui voulait mourir. Avant de regarder Rastignac, elle jeta sur son mari de craintifs regards qui annonçaient une prostration[1] complète.

— Monsieur, dites à mon père que je suis irréprochable envers lui, malgré les apparences, cria-t-elle avec désespoir.

Eugène salua les deux époux, en devinant l'horrible crise dans laquelle était la femme, et se retira stupéfait. Il comprit qu'Anastasie n'était plus libre. Il courut chez madame de Nucingen, et la trouva dans son lit.

— Je suis souffrante, mon pauvre ami, lui dit-elle. J'attends le médecin...

— Eussiez-vous la mort sur les lèvres, lui dit Eugène en l'interrompant, il faut vous traîner auprès de votre père.

— Eugène, mon père n'est peut-être pas aussi malade que vous le dites ; mais je serais au désespoir d'avoir le moindre tort à vos yeux, et je me conduirai comme vous le voudrez. Eugène, heureux de pouvoir annoncer au moribond la présence d'une de ses filles, arriva presque joyeux à la pension.

1. **prostration (n)** : abattement profond.

— Elles viennent, n'est-ce pas, demanda le père Goriot.

— Oui, répondit Eugène, Delphine me suit.

À compter de ce moment, sa physionomie garda la douloureuse empreinte du combat qui se livrait entre la mort et la vie.

— Il va rester ainsi quelques heures, et mourra sans que l'on s'en aperçoive, dit Bianchon.

En ce moment on entendit dans l'escalier un pas de jeune femme haletante.

— Elle arrive trop tard, dit Rastignac.

Ce n'était pas Delphine mais sa femme de chambre.

— Monsieur Eugène, dit-elle, il s'est élevé une scène violente entre monsieur et madame, à propos de l'argent que cette pauvre madame demandait pour son père. Elle s'est évanouie, le médecin est venu, il a fallu la saigner, elle criait : « Mon père se meurt, je veux voir papa ! »

— Assez, Thérèse. Elle viendrait que maintenant ce serait superflu, monsieur Goriot n'a plus de connaissance.

La comtesse de Restaud apparut soudain.

— Je ne me suis pas échappée assez tôt, dit-elle.

Elle prit la main de son père.

— Pardonnez-moi, mon père ! Monsieur de Trailles est parti et j'ai su qu'il me trompait. J'ai laissé mon mari maître de ma fortune. Hélas ! Pour qui ai-je trahi le seul cœur où j'étais adorée ! Je l'ai repoussé, je lui ai fait mille maux. Mon père est mort ! cria la comtesse.

— Il est bien mort, dit Bianchon en descendant.

— Allons, messieurs, à table, dit madame Vauquer, la soupe va se refroidir.

Eugène et Bianchon sortirent pour aller chercher

un prêtre qui veillât et priât pendant la nuit près du mort. Puis, Rastignac écrivit un mot au baron de Nucingen et au comte de Restaud afin de pourvoir à tous les frais de l'enterrement. Le lendemain matin, Bianchon et Rastignac furent obligés d'aller déclarer eux-mêmes le décès. Aucun des deux gendres n'envoya d'argent. Rastignac avait été forcé déjà de payer les frais du prêtre. L'étudiant en médecine se chargea donc de mettre lui-même le cadavre dans une bière[1] de pauvre qu'il fit apporter de son hôpital, où il l'eut à meilleur marché. Après avoir fait toutes ses dispositions, Eugène revint à la pension et ne put retenir une larme quand il aperçut la bière à peine couverte d'un drap noir ; c'était la mort des pauvres, qui n'a ni faste, ni amis, ni parents. Bianchon obligé d'être à l'hôpital, avait écrit un mot à Rastignac lui indiquant qu'une messe était hors de prix, qu'il fallait se contenter du service moins coûteux des vêpres. Rastignac et Christophe accompagnèrent seuls, avec deux croque-morts[2], le char qui menait le pauvre homme à Saint-Étienne-du-Mont.

L'étudiant chercha vainement les deux filles du père Goriot ou leurs maris.

Les deux prêtres vinrent et donnèrent tout ce qu'on peut avoir pour soixante-dix francs dans une époque où la religion n'est pas assez riche pour prier gratis.

Au moment où le corps fut placé dans le corbillard[3], deux voitures armoirées[4], mais vides, celle

1. **bière (n)** : cercueil.
2. **croquemort (n)** : employé d'une entreprise de pompes funèbres.
3. **corbillard (n)** : voiture mortuaire.
4. **armoiré (adj)** : qui porte les emblèmes qui distinguent une famille, une collectivité.

du comte de Restaud et celle du baron de Nucingen, se présentèrent et suivirent le convoi jusqu'au Père-Lachaise. À six heures, le corps du père Goriot fut descendu dans sa fosse. Le jour tombait, Eugène regarda la tombe et y ensevelit sa dernière larme de jeune homme. Puis, il fit quelques pas vers le haut du cimetière et vit Paris tortueusement couché le long des deux rives de la Seine. Il dit ses mots grandioses : « À nous deux maintenant ! » Et pour premier acte du défi qu'il portait à la Société, Rastignac alla dîner chez madame de Nucingen.

COMPRÉHENSION DU TEXTE

1. Indiquez si les phrases sont vraies (V) ou fausses (F).

	V	F
1. Delphine et Anastasie aiment leur père et l'ont toujours reçu chez elles.	❑	❑
2. Delphine est aussi superficielle que sa sœur.	❑	❑
3. Maxime de Trailles est un jeune homme vertueux, incapable de profiter de quelqu'un.	❑	❑
4. Victorine Taillefer aime son père malgré qu'il ne veuille pas la voir.	❑	❑
5. Eugène hésite entre rester vertueux et accepter la proposition de Vautrin.	❑	❑
6. La pension Vauquer est un lieu très agréable, très propre et confortable.	❑	❑
7. Le père Goriot ne vit que pour le bonheur de ses filles.	❑	❑
8. Vautrin est un ancien forçat évadé du bagne de Toulon.	❑	❑
9. L'histoire se déroule à Londres au dixseptième siècle.	❑	❑
10. Vautrin voudrait devenir un homme d'affaires important.	❑	❑
11. Madame de Beauséant aide son cousin à s'introduire dans le monde.	❑	❑
12. À la fin de l'histoire, Eugène rompt avec Delphine.	❑	❑

2. Décrivez l'évolution du caractère et du physique du père Goriot depuis son arrivée à la pension jusqu'à sa mort.

....

....

....

....

....

3. Dans la même situation, adopteriez-vous la même attitude que le père Goriot a envers ses filles ?

....

....

....

....

4. Pensez-vous qu'un amour comme celui que le père Goriot éprouve pour ses filles peut se rencontrer dans la réalité ?

....

....

....

....

5. Quelles sont les ressemblances entre la vie de Balzac et certains passages de ce roman ?

....

....

....

....

6. Quelles sont les différentes situations au cours desquelles la conscience d'Eugène est tiraillée entre la vertu d'une part et l'ambition et l'amour d'autre part ?

....

....

....

....

7. Comparez le caractère des deux sœurs.

....

....

....

....

8. Imaginez le comportement d'Eugène après la mort du père Goriot vis à vis de Delphine et vis à vis de la riche société parisienne.

....

....

....

....

....

9. Est-ce que le comportement de Vautrin et celui des deux sœurs est très différent en ce qui concerne l'argent ? Sur quoi porte la différence ?

....

....

....

....

10. Faites correspondre les adjectifs ci-dessous avec les personnages indiqués et donnez un exemple pour chacun : vertueux, aimant, dévoué, pieuse, généreux, sensible, profiteuse, vaniteuse, superficielle, aimable, intelligent, faible, ambitieux.

- Goriot : ....
- Victorine : ....
- Eugène : ....
- Anastasie : ....

11. Pensez vous qu'Eugène ait choisi la voie qui lui convient et qu'il sera heureux ?

....

....

....

....

....

....

....

12. Quelle est la caractéristique des romans de Balzac regroupés sous le titre de la *Comédie Humaine* ?

....

....

....

....

....

....

....

13. **Pourquoi, à votre avis, ces romans ont-ils eu un tel succès ?**

....

....

....

14. **Si vous deviez écrire un roman sur les mœurs de notre époque, quel thème choisiriez vous ?**

....

....

....

15. **Est-ce que la mentalité des gens à l'époque du roman est différente de la mentalité de nos jours (ambition, argent, honneur) ?**

....

....

....

16. **Rédigez une courte composition sur le thème suivant : y-a-t-il une limite au dévouement des parents pour leurs enfants ?**

....

....

....

....

....

....

....

....

17. Pourquoi les milieux aristocratiques et bourgeois s'opposent-ils et, en même temps, ont besoin l'un de l'autre ?

....

....

....

....

....

18. Dans quel milieu auriez-vous aimé vivre et pourquoi ?

....

....

....

....

....

19. Comparez la maison Vauquer et nos actuelles maisons de retraite.

....

....

....

....

....

....

....

....

....

....

....

20. À votre avis, pourquoi les gens ont-ils besoin d'un souffre-douleur ?

....

....

....

....

....

21. Quel plaisir prennent certaines personnes (comme Vautrin, Madame Vauquer) à connaître la vie des autres, à critiquer et à se réjouir de leurs malheurs ?

....

....

....

....

....

....

22. Pensez-vous que, à notre époque, il y ait des familles qui favorisent le fils au détriment de la fille (comme Victorine Taillefer) ? Comment expliquez-vous ce comportement ?

....

....

....

....

....

....

23. **Que pensez-vous du rôle des femmes dans l'aristocratie et dans la bourgeoisie ?**

....

....

....

....

....

....

....

24. **Pensez-vous que les femmes jouent le même rôle à notre époque. Si oui, est-ce dans tous les milieux ?**

....

....

....

....

....

....

25. **Est-ce que le mépris pour les gens sans fortune est aussi fort à notre époque qu'il l'était au XIX siècle (Madame Vauquer par rapport au père Goriot ; le valet de chambre par rapport à Eugène...) ?**

....

....

....

....

....

26. Comment expliquez-vous le mépris des valets pour Eugène lorsqu'il entre chez la comtesse de Restaud (paragraphe 1) ?

....
....
....
....
....
....
....
....
....
....
....
....
....
....
....
....
....
....
....
....
....
....

TABLE DES MATIÈRES

• LECTEURS EN HERBE • EN COULEURS •

Béril	ASTRELIX DANS L'ESPACE
Lutun	ZAZAR
Moulin	LE COMTE DRACULA
Moulin	NESSIE LE MONSTRE
Moulin	ROBIN DES BOIS
Vincent	LA FAMILLE FANTOMAS
Lutun	ZAZAR ET LE COQUILLAGE
Lutun	ZAZAR ET LE RENARD
Martin	HALLOWEEN
Martin	BROB LE BRONTOSAURE

• PREMIÈRES LECTURES •

Aublin	LE RIFIFI
Aublin	MERLIN L'ENCHANTEUR
Aublin	SCARAMOUCHE
Avi	LE TITANIC
Brunhoff	L'ÉLÉPHANT BABAR
Busch	MAX ET MAURICE
Cabline	VERCINGÉTORIX
Capatti	JOUEZ avec la GRAMMAIRE FRANÇAISE
Daudet	LA CHÈVRE DE M. SEGUIN
Dumas	LES TROIS MOUSQUETAIRES
Dutrois	L'ACCIDENT !
Dutrois	OÙ EST L'OR ?
Germain	LE PETIT DRAGON
Gilli	MÉDOR ET LES PETITS VOYOUS
Grimm	CENDRILLON
Grimm	LES GNOMES
Hutin	LA MAISON DES HORREURS
Hutin	LE PAPILLON
La Fontaine	LE LIÈVRE ET LA TORTUE
Leroy	LES AVENTURES D'HERCULE
Les 1001 Nuits	ALI BABA ET LES 40 VOLEURS
Messina	LE BATEAU-MOUCHE
Perrault	LE PETIT CHAPERON ROUGE
Stoker	DRACULA

• PREMIÈRES LECTURES •

Arnoux	LE MONSTRE DE LOCH NESS
Andersen	LES HABITS DE L'EMPEREUR
Flotbleu	D'ARTAGNAN
Grimm	HANSEL ET GRETEL
Hugo	LE BOSSU DE NOTRE-DAME
Laurent	LE DRAGON DORMEUR
Laurent	POCAHONTAS
Pellier	LE VAMPIRE GOGO
Renard	POIL DE CAROTTE
Stoker	DRACULA

• LECTURES TRÈS FACILITÉES •

Aublin	FRANKENSTEIN contre DRACULA
Avi	LE COMMISSAIRE
Avi	LE TRIANGLE DES BERMUDES
Cabline	NAPOLÉON BONAPARTE
Capatti	JOUEZ avec la GRAMMAIRE FRANÇAISE
Cavalier	LES MÉSAVENTURES DE RENART
Ducrouet	NUIT DE NOËL
Géren	LE BATEAU VIKING
Géren	LE MONSTRE DES GALAPAGOS
Germain	LE VAMPIRE
Gilli	UN CŒUR D'ENFANT
Gilli	PARIS-MARSEILLE VOYAGE EN T.G.V.
Hémant	MARIE CURIE
Hutin	CARTOUCHE
Hutin	LE MYSTÈRE DE LA TOUR EIFFEL
Laurent	UN VOLONTAIRE DANS L'ESPACE
Leroy	ANACONDA, LE SERPENT QUI TUE
Mass	LA CHASSE AU TRÉSOR
Mass	OÙ EST L'ARCHE DE NOÉ?
Mérimée	LA VÉNUS D'ILLE
Messina	GRISBI

• LECTURES TRÈS FACILITÉES •

Arnoux	BONNIE ET CLYDE • FUITE D'ALCATRAZ
Aublin • Wallace	SISSI • BEN HUR
Avi • Doyle	PIRATES • LA MOMIE
Cabline	LES CHEVALIERS DU ROI ARTHUR
Dumas	LE COMTE DE MONTE-CRISTO
Germain • Saino	HALLOWEEN • LE MASQUE
Hoffmann	PIERRE L'ÉBOURIFFÉ
Hutin	LES COPAINS
Pellier	LE REQUIN • HISTOIRES FANTÔMES
Perrault • Leroux	BARBE BLEU • FANTÔME de l'OPÉRA
Sennbault	MEURTRE SUR LA CROISETTE

• LECTURES FACILITÉES •
Sélection

Aublin	RIEN NE VA PLUS !
Beaumont	LA BELLE ET LA BÊTE
Capatti	JOUEZ avec la GRAMMAIRE FRANÇAISE
Dumas	LES TROIS MOUSQUETAIRES
Flaubert	MADAME BOVARY
Forsce	JACK L'ÉVENTREUR
Fraiche	LES MYSTÈRES DE LA BASTILLE
Giraud	L'HISTOIRE D'ANNE FRANK
Juge	FUITE DE LA CAYENNE
Juge	JEANNE D'ARC
Malot	SANS FAMILLE
Martini	LA CHANSON DE ROLAND
Martini	LE ROMAN DE RENART
Martini	LE FANTÔME à Chenonceaux
Maupassant	BOULE DE SUIF
Maupassant	UNE VIE
Mercier	CONTES D'AFRIQUE
Mercier	L'AFFAIRE DREYFUS
Mercier	L'EUROTUNNEL
Molière	LE MALADE IMAGINAIRE
Mounier	STALINGRAD
Pergaud	LA GUERRE DES BOUTONS
Perrault	LE CHAT BOTTÉ
Rabelais	GARGANTUA ET PANTAGRUEL
Radiguet	LE DIABLE AU CORPS
Renard	POIL DE CAROTTE
Rostand	CYRANO DE BERGERAC
Sand	LA MARE AU DIABLE
Sand	LA PETITE FADETTE
Ségur	MÉMOIRES D'UN ÂNE
Terrail	LES EXPLOITS DE ROCAMBOLE
Troyes	PERCEVAL
Verne	DE LA TERRE À LA LUNE
Verne	LE TOUR DU MONDE EN 80 JOURS
Verne	20 000 LIEUES SOUS LES MERS

• LECTURES FACILITÉES •

Beaumarchais • Fraiche	FIGARO • ROBESPIERRE
Beaum • Hugo	BARBIER SÉVILLE • MISÉRABLES
Dunsien	LA GUERRE D'INDOCHINE
Forsce	RICHARD CŒUR DE LION
Fraiche	CHARLEMAGNE
Loti • Messina	PÊCHEUR • JOCONDE
Mercier • Renard	CONTES • POIL DE CAROTTE
Molière	TARTUFFE
Saino • Juge	ORIENT EXPRESS • ANDES
Ségur • Pergaud	MÉMOIRES ÂNE • GUERRE BOUTONS
Voltaire	CANDIDE

• LECTURES SANS FRONTIÈRES •

Balzac	LE PÈRE GORIOT
Béguin	AMISTAD
Béguin (SANS CD)	JOUEZ avec la GRAMMAIRE
Combat	HALLOWEEN
Conedy	COCO CHANEL
Diderot	JACQUES LE FATALISTE
Dumas	LA DAME AUX CAMÉLIAS
Flaubert	L'ÉDUCATION SENTIMENTALE
Flaubert	MADAME BOVARY
France	LE LIVRE DE MON AMI
Hugo	LES MISÉRABLES
Hugo	NOTRE-DAME DE PARIS
Iznogoud	JACK L'ÉVENTREUR
Maupassant	BEL-AMI
Messina	JEANNE D'ARC
Messina	MATA HARI
Messina	NAPOLÉON. L'HISTOIRE D'UNE VIE
Molière	L'ÉCOLE DES FEMMES
Proust	UN AMOUR DE SWANN
Sampeur	RAPA NUI
Stendhal	LE ROUGE ET LE NOIR
Térieur	LE TRIANGLE des BERMUDES
Zola	GERMINAL
Zola	THÉRÈSE RAQUIN

• AMÉLIORE TON FRANÇAIS •
Sélection

Alain-Fournier	LE GRAND MEAULNES
Anouilh	BECKET
Balzac	L'AUBERGE ROUGE
Balzac	L'ÉLIXIR DE LONGUE VIE
Baudelaire	LA FANFARLO
Corneille	LE CID
Daudet	LETTRES DE MON MOULIN
Duras	AGATHA
Flaubert	UN CŒUR SIMPLE
Gautier	LA MORTE AMOUREUSE
Hugo	Le DERNIER JOUR d'un CONDAMNÉ
La Fontaine	FABLES
Maupassant	MADEMOISELLE FIFI
Molière	L'AVARE
Molière	TARTUFFE
Molière	LES PRÉCIEUSES RIDICULES
Perrault	CONTES
Prévost	MANON LESCAUT
Rousseau	RÊVERIES DU PROMENEUR SOLITAIRE
Simenon	LES 13 ÉNIGMES
Stendhal	HISTOIRES D'AMOUR
Voltaire	MICROMÉGAS

• CLASSIQUES DE POCHE •

Baudelaire	LE SPLEEN DE PARIS
Duras	L'AMANT
Hugo	LA LÉGENDE DU BEAU PÉCOPIN
La Fayette	LA PRINCESSE DE CLÈVES
Maupassant	CONTES FANTASTIQUES
Pascal	PENSÉES
Proust	VIOLANTE OU LA MONDANITÉ
Racine	PHÈDRE
Sagan	BONJOUR TRISTESSE
Simenon	L'AMOUREUX DE MME MAIGRET
Voltaire	CANDIDE

IMPRIMÉ EN ITALIE PAR TECHNO MEDIA REFERENCE